HAROLD *y el*
LÁPIZ MORADO

HAROLD
y el
LÁPIZ
MORADO

Crockett Johnson

miau

Título original: *Harold and the purple crayon*
© Ilustraciones y texto: Crockett Johnson, 1955
© De esta edición: Ediciones Jaguar, 2012
C/ Laurel, 23, 1º. 28005 Madrid.
www.edicionesjaguar.com
© Traducción: Merme L'Hada
© Publicado según acuerdo con HaperCollins Children's Books,
división de HarperCollins Publishers.

ISBN: 978-84-15116-22-6
Depósito legal: M-6620-2012

Una noche, después de pensarlo mucho, Harold decidió dar un paseo bajo la luz de la luna.

Pero no había luna, y Harold necesitaba una

para su paseo.

Y también necesitaba algo sobre lo que caminar.

Hizo una línea larga y recta, así no se perdería.

Y salió a dar su paseo, llevando consigo

su gran lápiz morado.

Pero no parecía llegar a ninguna parte

por ese largo camino.

Entonces dejó ese camino e hizo un atajo
a través del campo. Y la luna le siguió.

El atajo le llevó directamente al lugar en donde

Harold pensó que debía de haber un bosque.

No quería perderse en el bosque. Así que dibujó
uno muy pequeño, con un solo árbol.

Que resultó ser un manzano.

Las manzanas estarán muy sabrosas,

pensó Harold, cuando se pongan rojas.

Entonces puso bajo el árbol un dragón aterrador
para resguardar las manzanas.

En realidad, era un dragón terriblemente

aterrador.

Incluso asustó a Harold, que se echó para atrás.

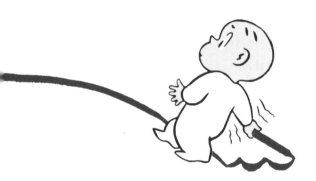

La mano con la que sostenía el lápiz morado

tembló tanto que...

De repente se dio cuenta de lo que pasaba.

Pero para entonces, el océano había cubierto por completo a Harold.

Subió y con un rápido pensamiento...,

en un abrir y cerrar de ojos, se subió

a bordo de un pequeño barco.

Rápidamente le puso la vela.

Y la luna navegaba con él.

Después de navegar largo tiempo,

Harold llegó a tierra sin problema.

Dio un paso en la playa, preguntándose

dónde estaría.

La arena de la playa le recordó a Harold

a un picnic. Y pensar en picnics le dio hambre.

Así que preparó una sencilla merienda.

No había nada más que pasteles.

Pero eran los nueve tipos de pasteles favoritos
de Harold.

Cuando Harold terminó su picnic todavía
quedaba mucho.

No le gustaba ver tantos pasteles deliciosos

echados a perder.

Así que Harold trajo a un alce muy hambriento

y a un puercoespín para que se los terminaran.

Entonces se marchó en busca de una colina

a la que subir para ver dónde estaba.

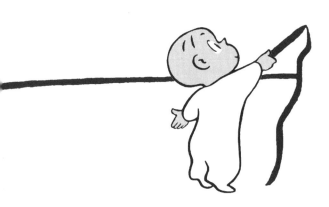

Harold sabía que cuanto más alto subiera,
más lejos podría ver. Así que decidió convertir
la colina en una montaña.

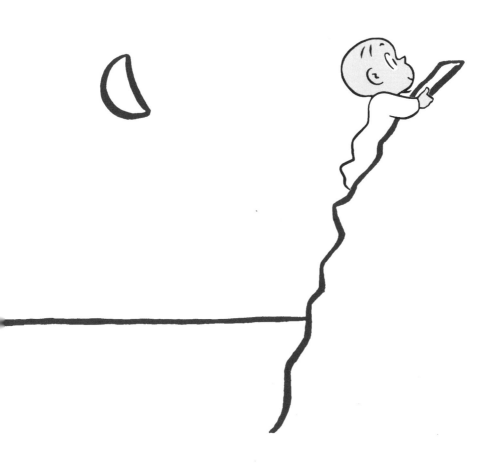

Si llegaba muy arriba, pensó, podría ver

la ventana de su dormitorio.

Estaba cansado y pensó que debía irse a la cama.

Harold esperaba poder ver su ventana

desde la cima de la montaña.

Pero miró hacia abajo desde el otro lado,

y se resbaló...

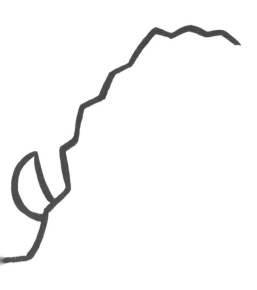

Y como no había otro lado de la montaña,
se fue cayendo al vacío.

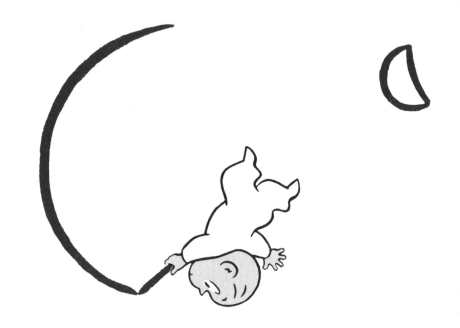

Pero, afortunadamente, seguía teniendo

su ingenio y su lápiz morado.

Dibujó un globo y se agarró a él.

Y añadió un canasto bajo el globo

lo suficientemente grande para que él cupiera.

Tenía unas estupendas vistas desde el globo,

pero seguía sin poder ver su ventana.

Ni siquiera veía su casa.

Así que hizo una casa con ventanas.

Aterrizó en globo s   l patio
delantero.

Ning s era la suya.

Trató de pensar dónde estaría su ventana.

Hizo algunas ventanas más.

Hizo un gran edificio lleno de ventanas.

Y luego hizo muchísimos edificios llenos

de ventanas.

Hizo una ciudad entera llena de ventanas.

Pero ninguna de ellas era su ventana.

No podía recordar cuál podría ser.

Decidió preguntarle a un policía.

El policía le indicó el camino al que Harold se
dirigía. Pero él de todos modos se lo agradeció.

Iba andando junto a la luna,

deseando estar en su habitación y en su cama.

Entonces, de repente, Harold recordó.

Recordó dónde estaba la ventana

de su habitación cuando había luna.

Estaba justo alrededor de la luna.

Después Harold dibujó su cama.

Se acostó y añadió sus mantas.

El lápiz morado se cayó en el suelo.

Y Harold se durmió profundamente.